Pour ma maman qui fait de chaque jour une fête,
et pour mes enfants qui aiment tant rire !

S.B.

Sandrine Beau

Des crêpes à l'eau

Illustré par
Sandrine Kao

GRASSET-JEUNESSE
Lampe de poche

ISSN : 1281-6698
ISBN : 978 2 246 78066 3

Loi n° 49-956 du 16 juillet 1949
sur les publications destinées à la jeunesse.

« Amener un objet qui rappelle un moment de bonheur », voilà ce que la maîtresse nous a fait marquer dans notre cahier de devoirs, aujourd'hui.
Avec elle, on a écrit des poésies où toutes les phrases commençaient par la lettre A. On a aussi élevé des blattes dans un aquarium rempli de terre, malgré les cris du monsieur du ménage. Maintenant, on s'intéresse au bonheur, parce que « le bonheur, ça rend la vie plus légère, il faut savoir le reconnaître et en profiter lorsqu'il pointe le bout de son nez ». Moi, je suis totale d'accord.
J'ai pas hésité une seconde : j'ai su tout de suite que je ramènerais l'assiette. L'assiette que j'ai choisie toute seule avant Noël, avec maman qui me regardait comme si j'avais une baguette magique entre les mains.

Les crêpes

— On fait des crêpes ?

Depuis l'année dernière, c'est presque un concours entre nous : à celle qui le dira la première.

— On fait…

— DES CRÊÊÊÊÊÊPES ?

Maman démarre toujours par son « check-up ».

— Tablier ?

— Tablier !

— Fouet ?

— Fouet !

— Saladier ?

— Saladier !

J'ai l'impression d'être dans une série télé, au moment où le grand chirurgien demande ses instruments pour l'opération de la dernière chance. Je lui tends tous les ustensiles, avec un air très sérieux.

On en mange souvent des crêpes, mais moi, j'adore ! Il faut juste de la farine, des œufs et du lait. On peut même mettre de l'eau, si on n'a pas de lait. Avec du sucre, ça passe très bien.

ORNICHONS
MOU

Un pot de moutarde et du ketchup

Tout a commencé le lendemain d'une soirée crêpes à l'eau. Dans le frigo, à part les étagères, un pot de moutarde et mon ketchup, il n'y avait plus rien.

— Je crois qu'on ne peut pas échapper aux courses, a soupiré maman.

À l'entrée du magasin, elle a sorti sa liste :

— On essaye d'avoir une note encore plus petite que la dernière fois, pour faire un riquiqui-chèque. D'accord ? Go ! elle a crié, en poussant son chariot comme une guerrière qui part à l'assaut des boîtes de conserves.

Elle s'est occupée de la lessive et du lait pendant que moi, j'allais chercher des pâtes, des lentilles, des haricots, en n'oubliant pas de me baisser.

— À hauteur d'yeux, m'a expliqué maman, ils mettent les produits qui coûtent le plus cher, exprès.

Ils sont malins dans les magasins, alors je fais bien attention.

À chaque fois que je vois quelque chose qui me tente, je me demande si j'en ai vraiment besoin. En y réfléchissant, y a des tas de trucs pas indispensables à la vie.

Les ballons

Quelques mois plus tôt, en rentrant à la maison, j'avais découvert plein de ballons qui se balançaient doucement au plafond.

Cette semaine-là, maman travaillait le matin à l'hôpital. Elle m'attendait, appuyée contre le mur du salon, avec des yeux gourmands.

— Le début du Printemps, ça se fête, non, mon hirondelle ? J'avais envie de mettre de la couleur !

J'ai couru chercher l'appareil photo parce que c'était trop beau, j'ai pris une chaise et je suis montée dessus.

— Viens maman, mets-toi à côté de moi !

La photo, elle est trop marrante. On nous voit joue contre joue, avec des vrais sourires de compétition et des taches jaunes, rouges, bleues, orange derrière nous.

Le vieux cartable

En rentrant de notre opération chèque-riquiqui, on a aussi eu une drôle de surprise. Mais c'était pas des ballons.
On est tombées nez à nez avec un monsieur en costume qui attendait devant chez nous. Il avait un espèce de cartable marron incroyable, qu'il avait au moins dû piquer à son arrière-grand-père.
— Ah ! J'allais laisser un mot. Parfait, on va pouvoir prendre rendez-vous.
— Rentre, Solène, m'a dit maman, et elle a tiré la porte.
J'ai tout de même entendu, et j'ai compris qu'il s'agissait d'un monsieur des HLM. Il parlait de commandement de payer, et disait que maman devait se ressaisir.
— Comment voulez-vous que je fasse ? elle a presque crié. On ne s'achète que le minimum...
— Méfiez-vous, il a lancé en faisant claquer les boucles de son cartable, vous risquez l'expulsion. La fin de l'hiver va bientôt arriver...
Il ne faisait pas très chaud chez nous, les radia-

teurs sont réglés au plus bas, mais cette fois, je me sentais glacée à l'intérieur. D'habitude, si j'ai trop froid, je mets une chanson bien énergique et je danse sans m'arrêter.

Là, pour me réchauffer, il m'aurait plutôt fallu un bon gros feu de cheminée. Et un Père Noël qui passe la tête en souriant, pour nous déposer une valise pleine de billets.

Des fleurs dans les toilettes

Avant c'était pas comme ça. Quand on vivait tous les trois, avec papa.

— Parfois on croit qu'on va s'aimer toute la vie, et en fait, on s'est trompés. Mais on t'aimera toujours, papa et moi… Ça ne changera jamais !

Voilà comment maman m'a annoncé qu'ils allaient se séparer. Pourtant, il y en a des choses qui ont changé.

Papa a gardé la maison, maman a cherché un appartement. Elle a seulement emporté nos habits et les livres.

— Je commence une nouvelle vie, elle répondait à ceux qui s'étonnaient de la voir sans un meuble. Je ne veux pas m'encombrer avec le passé ! Je peux très bien me débrouiller toute seule, elle ajoutait si les questions reprenaient.

Au début, elle y est arrivée : une vraie reine de la bricole. On a récupéré de vieilles affaires un peu partout et en duo (je peignais le bas, elle peignait le haut), on a joué du pinceau. On a aussi dessiné des grandes fleurs dans les toilettes. Ils doivent être les plus classe de la cité, nos WC !

La tondeuse

Un été, tout s'est déglingué.
J'allais chez mon papa pour les vacances. Ils avaient décidé que je resterais avec lui tout le mois d'août. Un mois, c'est long et le soir, je pleurais sans rien dire dans mon lit, parce que j'avais envie de voir maman. Surtout qu'avec le métier de papa, j'étais plutôt habituée à le croiser entre deux chantiers.
Vers la fin des vacances, j'ai attrapé des poux. Il a tout de suite été très en colère.
— Comme si les nœuds tous les matins ne suffisaient pas !
Malgré le produit qu'il était allé acheter à la pharmacie, trois jours après, les petites bêtes continuaient à me démanger. Alors, il a attrapé sa tondeuse.
— Qu'est-ce que tu vas faire ?
J'ai regardé son crâne, avec des minicheveux tellement mini qu'on dirait qu'il n'y en a pas.
— Je coupe tout ! On sera enfin tranquilles.
— Nooon ! j'ai crié. S'il te plaît !
— Arrête ta comédie, Solène ! Tes cheveux repousseront.

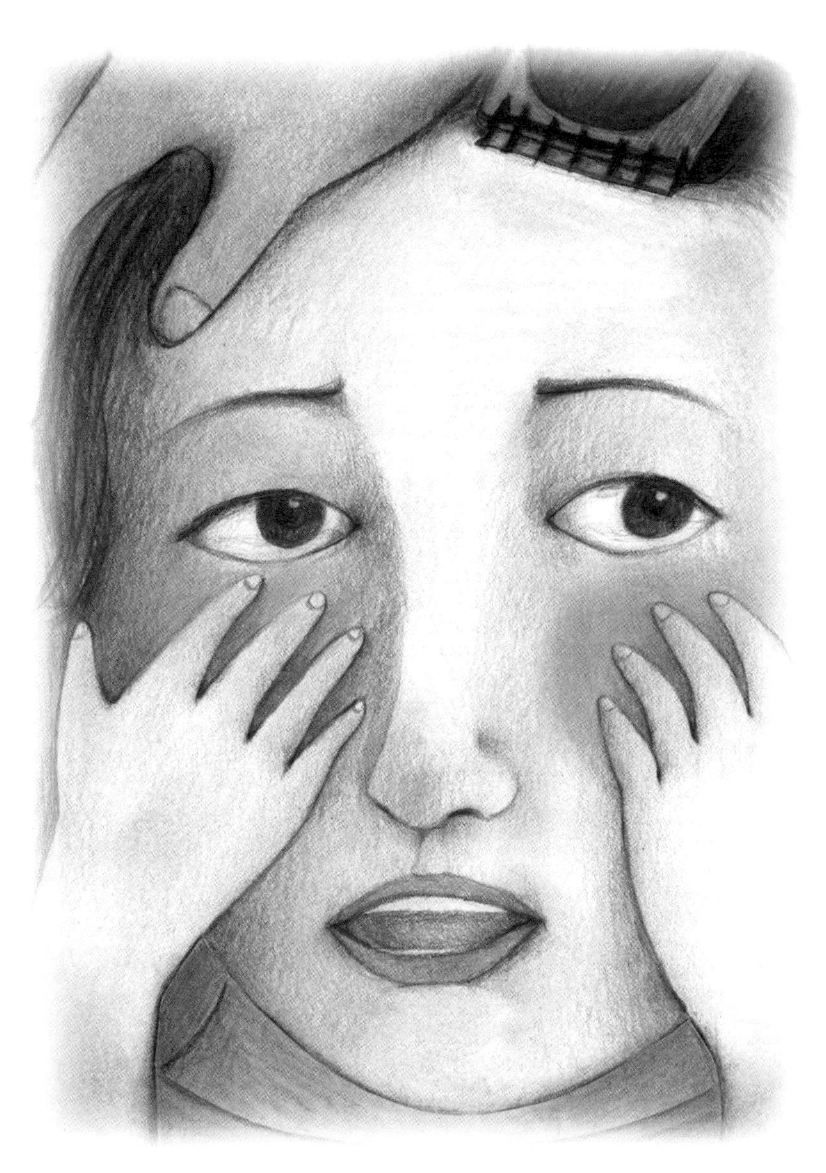

Je me suis jetée dans les bras de maman dès qu'elle est venue me chercher. Elle ne m'a pas tout de suite reconnue, avec ma boule à zéro.
— Monte dans la voiture ma puce, elle a murmuré avec une drôle de voix. Il faut que je parle à papa.
— Il n'avait pas le droit, elle m'a expliqué ensuite. Il est hors de question que tu retournes là-bas pour l'instant.
Apparemment, hors de question aussi que papa continue à lui verser une pension.
— Elle a décidé de partir, elle n'a qu'à assumer !
Maintenant, on n'a plus trop de nouvelles. Je crois qu'il vit quelque part en Asie, où il construit toujours des routes et des ponts.

Le carnet vert

Maman s'est un peu forcée à me sourire pendant qu'elle me bordait, le soir de la rencontre avec Cartable Préhistorique.
— Bonne nuit mon hirondelle ! Fais de beaux rêves...
De beaux et grands rêves, voilà ce qu'elle me souhaite, ma maman.
— Il faut viser la lune, comme ça, si on rate, on retombe le cul dans les étoiles !
Je sais qu'elle attendait que je sois couchée pour prendre son carnet vert. Lorsqu'elle croit que je dors, elle s'installe devant la table de la cuisine, ouvre son carnet, et compte et recompte.
Je l'ai trouvé dans son tiroir, un jour où elle n'était pas encore rentrée de son travail. Il y a tout dedans : d'abord ce qu'on doit payer chaque mois, le loyer, l'électricité, l'eau, le chauffage, l'abonnement pour le bus et puis les courses, avec des pages spéciales pour chaque semaine. Et plus la fin du mois approche, moins les pages sont remplies.

Les pantalons à élastique

Je ne parle pas de tout ça à l'école. Mais ça doit se voir, forcé, avec mes pantalons pas chers avec leur élastique à la taille. Les fameux « pantalons qui font grandir à la vitesse de la lumière » : après le premier lavage, ils ont tellement rétréci qu'on croirait avoir pris une taille dans la nuit ! Bon, si on a des jolies chaussettes, au moins, tout le monde le sait.

Pourtant, elle en a des bonnes idées maman pour « customiser » mes habits. Des boutons de toutes les couleurs, des morceaux d'anciens tee-shirts découpés en forme de cœur… J'ai des vêtements qui ne ressemblent à ceux de personne. Parfois même je les trouve très beaux. N'empêche, je voudrais tellement en avoir d'autres. Pour qu'on ne me voie pas. Pour être comme tout le monde. Des fois, j'ai un peu honte. Je reste dans mon coin. Sur le petit muret, au bout de la cour. Je m'y suis assise dès la rentrée. J'avais pleuré presque une semaine entière.

— Pitié maman ! Je veux pas aller dans cette école ! Je ne connais personne. Ils vont se moquer de moi, avec ma tête sans cheveux…

J'ai promis que je rangerais ma chambre à fond, que je trierais tous mes tas, que je retournerais mes chaussettes sales… En échange d'un mois de sursis.
— Tu sais, en un mois, tes cheveux n'auront pas encore beaucoup poussé, elle a argumenté. Autant se jeter à l'eau tout de suite, mon hirondelle.
Maman avait parlé à la directrice. Personne ne m'a rien dit, seulement personne ne venait me voir non plus. J'étais la nouvelle et une nouvelle un peu spéciale avec mon crâne d'œuf, la tête baissée sur mes baskets à deux euros et demi.

Les M&M's de Zoé

Et puis un jour, quelqu'un s'est approché de mon coin du bout de la cour.
— Tu veux un M&M's ? m'a proposé Zoé.
— Non merci.
— T'as tort, ils sont tout frais de ce matin. Juste pêchés, elle a rigolé. Avec encore la cacahuète qui frétille.
J'ai pas pu m'empêcher de sourire. Et j'ai pris un M&M's.
Voilà comment Zoé et moi, on est devenues les meilleures amies du monde. On fait le chemin pour l'école ensemble et le soir, on s'arrête sur le banc devant le bâtiment 12, pour notre pause « cacahuète qui frétille ».

Une pastèque dans le ventre

Cartable Préhistorique devait revenir le lendemain matin.
Je suis partie à l'école avec une boule dans le ventre.
— Tout va bien ? m'a demandé Zoé.
— Oui, oui, j'ai répondu.
Qu'est-ce que je pouvais lui dire ? Un monsieur horrible est avec ma maman en ce moment, et va décider si on reste chez nous ou pas ?
Le midi, en arrivant à la maison, j'ai vu le monsieur se lever précipitamment, tandis que maman tirait sur sa jupe. Il a quitté l'appartement sur ces mots :
— Repensez à ma proposition sérieusement... De toutes façons, vous n'avez pas vraiment le choix.
Maman m'a fait le plus petit sourire du monde.
— Tout va bien se passer mon hirondelle. Ne t'inquiète pas. Tant qu'on reste ensemble, rien ne peut nous arriver.
J'ai pensé que là, les choses allaient vraiment mal. Et j'ai eu l'impression qu'une pastèque s'était installée dans mon ventre.

La couleur blanche

Le coup de la pastèque, ça me l'avait déjà fait. Avant. Quand je croyais encore que le bonheur c'était d'être trois.
Papa rentrait de son voyage en Russie, et avec maman on voulait préparer quelque chose de spécial.
— Puisqu'il arrive du pays de la neige, on va lui faire un bel accueil tout blanc !
On avait mis une semaine à tout organiser. Maman avait ressorti sa robe de mariée et vu que je n'avais pas de tenue blanche, elle m'avait taillé une robe de princesse dans un grand drap, avec des petites boules de coton cousues partout. C'était magnifique.
À l'aéroport, je tenais un petit panneau « Bienvenue papa ! ».
Mon père, elle n'a pas eu l'air de lui faire tellement plaisir, notre surprise.
— Tout le monde vous regarde, il a dit.
— Normal, j'ai rigolé. On est les plus belles !
Lui, il a pas rigolé.
— Faut toujours que t'en fasses trop, Sara.

Le sourire de maman en a pris un coup. Papa nous a tourné le dos et il est allé chercher un chariot pour ses valises.
Pastèque.

SOS mouchoir

De retour à l'école l'après-midi, j'avais la tête qui bourdonnait.
La maîtresse m'a interrogée, j'ai complètement paniqué et de grosses larmes ont dégouliné sur mes joues.
Zoé ne m'a plus quittée des yeux jusqu'à la cloche.
— Qu'est-ce qui se passe? elle s'est inquiétée dès qu'on est sorties.
— Je…
Les mots restaient coincés dans ma gorge.
— Ça ne va pas, Solène ?
J'ai fini par lui parler du loyer et du monsieur des HLM.
— SOS mouchoir ! a crié Zoé en sortant un paquet de Kleenex de sa poche. Allez viens, elle a ajouté en mettant un bras autour de mes épaules, on va chez moi.

Une bonne idée

Zoé, c'est le contraire de moi. Elle habite avec son père. Sa maman est « partie », disent les gens. Alors qu'en fait d'être partie, elle est morte quand Zoé avait six ans… C'est drôlement jeune pour ne plus avoir de maman.
Heureusement, elle a Basile. Basile, c'est un peu Zoé, en plus grand et en plus noir : lui aussi, il a oublié de mettre son sourire aux oubliettes.

john coltrane
bluenote

— J'ai invité Solène, papa, elle a crié.
— Quelle bonne idée, on a entendu depuis la cuisine. Par ici mes petites princesses ! Vous arrivez pile pour le goûter.
En entendant l'énorme voix de Basile (« On dirait un basson. Marrant pour un musicien ! » s'amuse maman), j'ai senti la pastèque diminuer.
Une fois nos tartines avalées, Zoé a dit :
— Papa, Solène et sa maman ont un problème.
— Ah bon ? Quel genre de problème ?
— Un gros, en fait…
— Tu veux bien m'expliquer, Solène ? a demandé Basile doucement.
Je ne savais pas par quoi commencer, mais je me suis lancée et j'ai tout raconté d'une traite, sans m'arrêter et sans le regarder. Le frigo vide, le carnet vert de maman, le vieux cartable… Même que je pensais que le monsieur des HLM avait essayé de mettre sa main sous la jupe de maman.
J'ai relevé les yeux, et Basile m'a souri.
— Tu as bien fait d'en parler, Solène. Personne n'a le droit de profiter de la faiblesse des gens. On va voir si ta maman n'a pas vraiment le choix, comme il le dit, le costumé. Une soirée couscous, tu crois que ça lui plairait, à Sara ?

L'invitation

Le téléphone a sonné juste après le retour de maman.
— On n'a pas le temps de se poser dans cette maison !
Elle a tiré la langue avec une grimace rigolote et elle est allée décrocher.
— Vous croyez ?... Demain ? Vraiment ?
— Oui, en effet... Bon... On apporte le dessert !
— Tu étais au courant, j'imagine ? elle m'a dit. Je n'ai pas vraiment la tête à ça, mais après tout ça nous changera les idées.
Je me suis collée contre elle. Y avait que sa main qui bougeait en me caressant les cheveux.
— Il va revenir Cartable Préhistorique ? j'ai chuchoté.
— Qui ?
— Le Monsieur des HLM.
— Ah, tu as raison, ça lui va bien, à Monsieur Bernard ! a répondu maman.
Et, avec un soupir :
— Pas avant lundi prochain. On va essayer de l'oublier pour l'instant, ce foutu « Cartable Préhistorique », d'accord ?

Le couscous

Basile avait mis les petits plats dans les grands. Ils parlaient de plein de trucs avec maman, pendant que Zoé et moi, on s'empiffrait de semoule. À la fin du repas, au bord de l'explosion, on a quitté la table pour aller dans la chambre de Zoé. L'heure de la deuxième partie du plan d'attaque avait sonné.

— Vous me laissez faire les filles, d'accord ?

Chez eux, pareil que chez nous, les murs sont tellement fins qu'on entend tout.

— Il paraît que l'office des HLM vous embête, il a démarré.

— Solène vous en a parlé ? s'est alarmée maman.

J'imaginais ses joues qui rosissaient.

— Oui. Elle était un peu à ramasser à la petite cuillère..., a murmuré Basile.

Maman a soufflé « Oh mon Dieu ! ».

Je n'en menais pas large.

Puis on a entendu : « SOS mouchoir ! » et mon cœur a sauté de joie. Maman a rigolé, entre deux reniflements.

Basile a dit qu'il existait des aides, des organismes.

— Je ne me vois pas aller tendre la main... Je me suis toujours débrouillée toute seule, vous savez.
— Je comprends. Mais parfois, il faut apprendre à ranger sa fierté dans sa poche…
Il y a même un moment où il s'est énervé :
— Il a eu un comportement inadmissible ! Vous pourriez l'attaquer en justice, ce bonhomme !
Ils ont discuté encore longtemps, un peu moins fort. Nos yeux piquaient, quand maman m'a appelée.
— Solène ? On y va ?
— Merci encore, Basile…, a ajouté maman.
— À lundi ! il a conclu, en lui serrant l'épaule dans sa grande main.
J'ai souri. Ça ressemblait drôlement à la troisième phase du plan d'attaque.

La nappe à carreaux

Le lendemain matin, un samedi sans bip-bip, comme je les aime, j'ai été réveillée par les mains de maman sur mes yeux.
Dans le salon, en face de la baie vitrée, elle a enlevé ses mains.
Tout était blanc dehors. La neige avait tout recouvert : les arbres, les routes qui semblaient avoir disparu... un vrai paysage de carte postale.
— Waouh ! On y va ?
— Évidemment, mon hirondelle !
J'ai sauté dans mon pantalon, et on est sorties en courant.
— C'est quoi ce truc sous ton bras ?
— Un vieux bout de toile cirée.
— Qu'est-ce que tu veux en faire ?
— Une luge ! elle s'est exclamée, comme si elle venait de dénicher un bobsleigh dernier cri.
Plutôt bizarre comme idée, mais j'ai rien dit. On est montées en haut de la colline en face de la cité. Y avait déjà pas mal de monde. Maman a étendu notre ancienne nappe jaune à petits carreaux blancs contre la neige et elle s'est assise

dedans. Je me suis installée devant elle, et elle a rabattu les côtés sur nos jambes.
Au début, on avançait lentement, et on a pris de la vitesse. Un truc géant. Tellement géant, qu'on a dû faire de la place dans la toile pour les autres enfants. On a battu des records de vitesse avec notre chenille à carreaux !

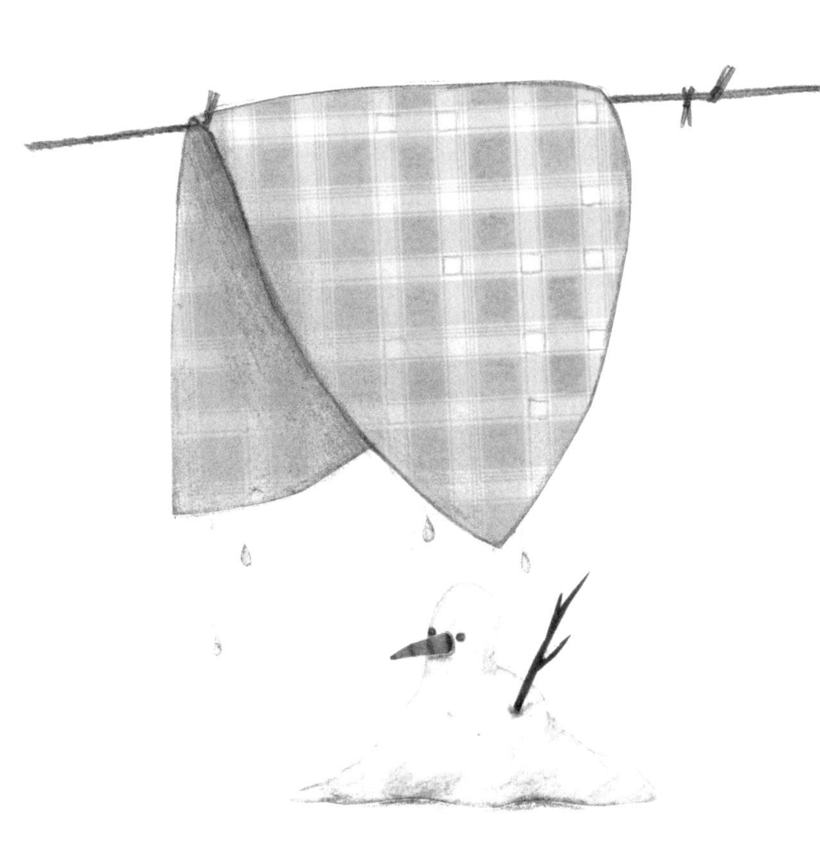

Basile super-héros

Le lundi suivant, Zoé et moi, on était deux vraies piles électriques. Après l'école, il a encore fallu attendre, maman terminait tard à l'hôpital et Basile répétait pour son concert. Heureusement, Zoé avait pensé à tout : ses poches étaient bourrées de M&M's et on est allées les grignoter sur notre banc pour patienter.

— Alooors ? j'ai tout de suite demandé quand maman est arrivée.

Y a des adultes qui préfèrent cacher la « réalité de la vie » à leurs enfants, comme les parents de ma maman. Elle, elle a décidé de tout me dire. Certaines personnes trouvent cette façon de faire bizarre. D'autres disent qu'elle va me traumatiser. Moi je le sais bien que je le suis pas, traumatisée. Et je préfère connaître la vérité, même pas jolie, plutôt qu'imaginer des choses encore plus horribles.

— Cartable Préhistorique n'a pas mis longtemps à se montrer odieux ; Basile, qui attendait dans la cuisine, nous a vite rejoints. Monsieur Bernard est devenu blême. Il a commencé à bégayer

lorsque Basile lui a réclamé des explications, puis il s'est rapidement ressaisi en nous balançant des grandes phrases pleines de mots qui font peur. Il n'aurait pas dû jouer au plus malin. Ton papa n'a pas du tout apprécié, Zoé…
Ce que Basile a fait ensuite, pour moi, c'est digne d'un héros.
Il a haussé le ton et il a exigé, « Vous vous rendez compte ! » disait maman avec un sourire mouillé, que l'autre s'excuse. « On ne traite pas les femmes de cette façon. Croyez-moi, vos supérieurs seront informés de ce que vous avez fait. Je ne pense pas que l'office des HLM cautionne un tel comportement, n'est-ce pas ? »
— Le petit air hautain de Monsieur Bernard, il avait complètement disparu. Il s'est excusé, a assuré qu'il ne savait pas ce qui lui avait pris, et qu'on allait trouver une solution… « Une solution, on va en trouver une, oui, l'avait interrompu Basile. Vous par contre, vous ne vous occupez plus de cette famille. Et maintenant, dehors ! »

La vache, le diable et les haricots

À présent je le sais : quand il y a un problème, il faut en parler.

— Il n'y pas de honte à avoir, m'a expliqué Basile le week-end suivant.

Ils venaient manger chez nous et on avait oublié le pain, alors on est allés tous les deux à la boulangerie pendant que maman et Zoé finissaient de mettre la table.

— Moi aussi, enfant, je vivais seul avec ma mère. Cela ne faisait pas longtemps qu'elle habitait en France, elle ne parlait pas français et tout le monde ne se comportait pas forcément bien avec elle. Mais elle restait très joyeuse, malgré les difficultés.

En croquant le bout de la baguette, il m'a raconté comment ils avaient « tiré le diable par la queue », « mangé de la vache enragée », quelquefois cru que c'était « la fin des haricots », et qu'en fait, on finit par s'en sortir.

— Tu vois, il ne faut pas se laisser faire, il a conclu. Si un jour, tu as un autre problème, tu me promets, tu m'appelles, OK ? Tope-là, princesse !

L'assiette

Il n'avait pas de manteau rouge ni de barbe blanche, mais cet hiver, notre Père Noël s'appelait Basile. Un Père Noël qui regardait maman comme si elle était la personne la plus incroyable qu'il ait jamais rencontrée. Et à chaque fois, je voyais son sourire à elle qui sautait jusqu'en haut de ses joues.

Maman a eu rendez-vous avec une dame qui s'occupe de nous. Étant donné qu'elle ne gagne pas assez d'argent avec son travail, on va nous aider pour qu'on arrive à payer le loyer.

Le jour où elle a su que son dossier était accepté, elle m'a dit :

— Ce soir, c'est la fête !

— Chouette, on fait des crêpes ? j'ai crié.

— D'abord, on va aller dans un beau magasin et tu choisiras l'assiette qui te plaît le plus, celle que tu trouves la plus jolie. Parce que cette assiette, mon hirondelle, sera notre assiette du début de la fin de la galère.

Dans la même collection

Le petit Monde merveilleux
AKAKPO GUSTAVE - MWANKUMI DOMINIQUE
Prix Sorcières 1ères lectures
Le lac sur lequel habite Kékéli dégage une drôle d'odeur...
Thèmes : écologie, environnement, Afrique

L'Ordinateur fantôme
BOUTIN CHRISTINE - CORNUEL PIERRE
L'horreur : Damien doit supporter son cousin pour les vacances !
Thème : communication

Le meilleur Papa du monde
CANTIN MARC - PERDREAU BRIGITTE
On a la plus grande maison du monde ! Mais est-ce vraiment la belle vie ?
Thèmes : chien, relations parents-enfants, humour

Un fabuleux chapeau
CORNEC-UTUDJI MICHELE - BERCHADSKY LEONE
Le chapeau plutôt spécial de Mimosa s'envole : Roméo veut l'aider...
Thèmes : différence, amitié

Les Aventures de Bull Mastik (tomes 1 à 5)
DESMAZURES FLORENCE - MERAT GUY
Thèmes : enquête, humour

Oh, l'amoureux !
DEVEZE CHRISTIAN - PHILIBERT
À la fin de l'été, Sylvain pense à l'année qui vient de s'écouler.
Thèmes : amour, jalousie

Jean et Pascal
DONNER CHRISTOPHE - MOSNER RICARDO
Pascal est jaloux de son grand frère et de son nouveau vélo.
Thème : jalousie

Série « Les petits bobos de la vie »
C'est pas juste !
C'est pas ma faute !

Papa n'est jamais là !
Manu et le psy
Maman est malade
Papa, Maman... avant
Et moi ?
La Valise rouge
T'es plus ma copine !
Mon chien est mort
Chacun sa chambre !
Ninon la bizarre
Amélie déménage
On a volé mon sac !
ENGLEBERT ERIC - K. DUBOIS CLAUDE

Le Poil dans la main
FLEUROT CORINNE - BRASSEUR JEROME
Romain est tellement paresseux qu'un poil lui pousse dans la main...
Thèmes : paresse, humour

La Sorcière du placard aux balais et autres contes
Le Géant aux chaussettes rouges et autres contes
La Fée du Robinet et autres contes
Extraits des *Contes de la rue Broca*
Le Marchand de fessées et autres contes
La Sorcière et le commissaire et autres contes
Le Diable aux cheveux blancs et autres contes
La princesse Barbue (illustré par Vincent Dutrait)
La cinq fois Belle (illustré par Boiry)
Le Renard et sa queue suivi du ***Gel au nez rouge*** (illustré par Boiry)
Extraits des *Contes de la Folie Méricourt*
GRIPARI PIERRE

Papy et la fée
GUDULE - K. DUBOIS CLAUDE
Une fée, ça crée des problèmes, mais ça fait aussi des miracles !
Thèmes : relations grands-parents

Le Film dont vous êtes le héros
GUDULE - AUTRET YANN
Pour son anniversaire, Sylvain reçoit un fabuleux cadeau.
Thèmes : animaux, amitié, tolérance

Le Lapin Valentin
HELLMANN-HURPOIL ODILE - GENESTE MARCELLE
Un soir, Sébastien apprend que son lapin Valentin a disparu…
Thèmes : lapin, chien, deuil

Le Manteau du Père Noël
KA OLIVIER - MARTIN ANNIE-CLAUDE
Cette année, les parents de Martin refusent de fêter Noël… Pourquoi ?
Thèmes : chômage, relations parents-enfants, magie

Boîte à lettres
LECOMTE NOËLLA - BRUNELET MADELEINE
Myriam écrit à son cousin, à son chien, au Père Noël...
Thèmes : humour, écriture, vie quotidienne

Faits pour le bonheur !
LEVY DIDIER - BOLL
Une balade dans la savane à la découverte des cinq sens.
Thèmes : cinq sens, bonheur, aloko

Moi j'irai dans la lune et autres Innocentines
OBALDIA (DE) RENE - HOUDART EMMANUELLE
Des textes très rythmés, poétiques et grinçants sur les choses de la vie.
Thèmes : poésie, humour

Une affaire de lunettes
TERNAUX CATHERINE - CECCARELLI SERGE
Les nouvelles lunettes de Julien ont des pouvoirs incroyables !
Thèmes : lunettes, amour, fantastique

Les Lézards de César
VLEESCHOUWER (DE) OLIVIER - VAN DER STRAETEN NADINE
Thomas est très intrigué par César, le nouveau...
Thèmes : animaux, amitié, tolérance

Dépôt légal : mai 2011
N° d'édition : 16 693

Conception et réalisation maquette : Joëlle Leblond

Photogravure : Domigraphic
Impression et brochage : Imprimerie Pollina - n° L56664
Imprimé en France